La rosa de los vientos
Antología poética

Colección dirigida por

Francisco Antón

La rosa de los vientos
Antología poética

Selección, notas y actividades
Juan Ramón Torregrosa

Ilustraciones
Jesús Gabán

Vicens Vives

A Gabriela y Claudio
J.R.T.

Diseño gráfico: Estudi Colomer

Primera edición, 2000
Reimpresiones, 2001, 2002, 2003, 2003, 2004, 2004
Séptima reimpresión, 2005

Depósito Legal: B. 25.131-2005
ISBN: 84-316-5507-0
Núm. de Orden V.V.: U-155

Agradecemos a todos los poetas o a sus herederos la gentileza que han mostrado al autorizarnos a
reproducir los poemas de cuyos derechos son beneficiarios. Deseamos manifestar, asimismo, que
hemos hecho todos los esfuerzos a nuestro alcance para contactar con cada uno de los autores (o
sus herederos) cuyos poemas figuran en la presente antología, aunque en algunos casos nos ha sido
imposible saber a quién hacer llegar nuestra petición de autorización o, en el momento de publicar-
se este libro, no hayamos recibido respuesta a nuestra solicitud.

IMPRESO EN ESPAÑA
PRINTED IN SPAIN

Editorial VICENS VIVES. Avda. de Sarriá, 130. E-08017 Barcelona.
Impreso por Gráficas INSTAR, S.A.

Índice

La rosa de los vientos

Echando a volar

RUEDA QUE IRÁS MUY LEJOS

Rueda que irás muy lejos.
Ala que irás muy alto.
Torre del día, niño.
Alborear del pájaro.
Niño: ala, rueda, torre.
Pie. Pluma. Espuma. Rayo.
Ser como nunca ser.
Nunca serás en tanto.

Eres mañana. Ven
con todo de la mano.
Eres mi ser que vuelve
hacia su ser más claro.
El universo eres
que guía esperanzado.[1]

---

1 En la niñez todo es fuerza vital que se proyecta hacia adelante (**rueda**), hacia lo más alto y puro (**torre, pájaro**), hacia la luz (**día, alborear**, 'amanecer'), hacia el futuro (**eres mañana**). A su vez, el poeta siente que con el hijo no sólo vuelve a renacer él mismo con nuevas ilusiones y esperanzas (en su **ser más claro**), sino todo el universo también.

Pasión del movimiento,
la tierra es tu caballo.
Cabálgala. Domínala.
Y brotará en su casco
su piel de vida y muerte,
de sombra y luz, piafando.[2]
Asciende. Rueda. Vuela,
creador de alba y mayo.
Galopa. Ven. Y colma
el fondo de mis brazos.

MIGUEL HERNÁNDEZ

---

2 **piafar**: rascar el suelo o dar patadas el caballo con los pies delanteros cuando está parado o inquieto. Para el poeta, el hijo es como un sol naciente (**creador del alba**) que integra la vida y su complementario, la muerte, lo masculino (sol, **luz**) y lo femenino (luna, **sombra**).

A MARGARITA DEBAYLE[1]

Margarita, está linda la mar,
y el viento
lleva esencia sutil de azahar;[2]
yo siento
en el alma una alondra cantar:
tu acento.[3]
Margarita, te voy a contar
un cuento.

* * *

Éste era un rey que tenía
un palacio de diamantes,
una tienda hecha del día
y un rebaño de elefantes.

---

1 Rubén Darío escribió este famosísimo poema para la hija de un íntimo
  amigo, el médico nicaragüense Luis H. Debayle.
2 **esencia sutil de azahar**: aroma ligero de la flor del naranjo (**azahar**),
  que es símbolo de pureza.
3 **tu acento**: el sonido de tu voz.

Un kiosco de malaquita,[4]
un gran manto de tisú,[5]
y una gentil[6] princesita,
tan bonita,
Margarita,
tan bonita como tú.
Una tarde la princesa
vio una estrella aparecer;
la princesa era traviesa
y la quiso ir a coger.

La quería para hacerla
decorar un prendedor,[7]
con un verso y una perla,
una pluma y una flor.

Las princesas primorosas[8]
se parecen mucho a ti.
Cortan lirios, cortan rosas,
cortan astros. Son así.

Pues se fue la niña bella,
bajo el cielo y sobre el mar,
a cortar la blanca estrella
que la hacía suspirar.

---

4 **kiosko de malaquita**: pequeña construcción de estilo oriental que consiste en un techo sostenido a veces por varias columnas que suele colocar-
se en los jardines; la **malaquita** es una piedra preciosa de color verde.

5 **tisú**: tela de seda entretejida con hilos de oro o plata.

6 **gentil**: hermosa, amable.

7 **prendedor**: broche.

8 **primorosas**: exquisitas y delicadas.

Y siguió camino arriba,
por la luna y más allá;
mas lo malo es que ella iba
sin permiso del papá.

Cuando estuvo ya de vuelta
de los parques del Señor,[9]
se miraba toda envuelta
en un dulce resplandor.

Y el rey dijo: «¿Qué te has hecho?
Te he buscado y no te hallé;
¿y qué tienes en el pecho
que encendido se te ve?».

La princesa no mentía,
y así, dijo la verdad:
«Fui a cortar la estrella mía
a la azul inmensidad».

Y el rey clama: «¿No te he dicho
que el azul no hay que tocar?
¡Qué locura! ¡Qué capricho!
El Señor se va a enojar».[10]

Y dice ella: «No hubo intento:[11]
yo me fui no sé por qué;

---

9 Esto es, 'del cielo lleno de estrellas'.
10 La imaginación de la niña vuela tan alto que alcanza «los parques del Señor», y allí corta la «blanca estrella» que la ilumina interiormente; el «pecho encendido» de la niña es símbolo de la verdad divina que ha alcanza-
do, pero, sobre todo, de la fantasía, la belleza o la poesía que los niños saben apreciar mejor que nadie.
11 **no hubo intento**: no fue mi intención enfadar a Dios.

por las olas y en el viento
fui a la estrella y la corté».

Y el papá dice enojado:
«Un castigo has de tener:
vuelve al cielo, y lo robado
vas ahora a devolver».

La princesa se entristece
por su dulce flor de luz,
cuando entonces aparece
sonrïendo el Buen Jesús.

Y así dice: «En mis campiñas
esa rosa le ofrecí:
son mis flores de las niñas
que al soñar piensan en Mí».

15

Viste el rey ropas brillantes,
y luego hace desfilar
cuatrocientos elefantes
a la orilla de la mar.

La princesita está bella,
pues ya tiene el prendedor
en que lucen, con la estrella,
verso, perla, pluma y flor.

* * *

Margarita, está linda la mar,
y el viento
lleva esencia sutil de azahar:
tu aliento.

Ya que lejos de mí vas a estar,
guarda, niña, un gentil pensamiento
al que un día te quiso contar
un cuento.

RUBÉN DARÍO

Ansias viajeras, sueños de libertad

MAPAS

Los mapas de la escuela,
todos tenían mar,
todos tenían tierra.

¡Yo sentía un afán[1]
por ir a recorrerla…!

Soñaba el corazón
con mares y fronteras,
con islas de coral[2]
y misteriosas selvas…

Soñaba el corazón…
¡Oh sueños de la escuela!

CONCHA MÉNDEZ

---

1 **afán**: ansia.
2 **coral**: animal que vive agrupado en colonias en los mares cálidos y que produce una sustancia de color rojo o rosado que forma su esqueleto externo en forma de árbol.

CABALGAR SOBRE LA MAR

¡Quién cabalgara el caballo
de espuma azul de la mar!

De un salto,
¡quién cabalgara la mar!

¡Viento, arráncame la ropa!
¡Tírala, viento, a la mar!

De un salto,
quiero cabalgar la mar.

¡Amárrame a tus cabellos,
crin de los vientos del mar![1]

De un salto,
quiero ganarme la mar.

RAFAEL ALBERTI

---

1 **crin**: conjunto de pelos largos que tienen los caballos en la parte superior del cuello. El poeta, pues, cabalga sobre las olas del mar, cogiéndose de los cabellos del viento.

LOS PALOS DEL TELÉGRAFO

Uno, dos, tres,
otra vez
los palos del telégrafo
junto a mi tren.[1]

Uno, dos, tres,
uno, dos, tres.
¡Cómo me gusta irme
para volver!

Telegramas azules[2]
pondré después.

---

1 **palos del telégrafo**: postes que sostienen los cables por los que se emiten las comunicaciones telegráficas.
2 **telegramas azules**: porque el papel que se entrega al destinatario con el texto escrito es en España de color azul.

Norte, Sur, Este, Oeste,
uno, dos, tres.

—He llegado. —Ya vuelvo.
—Te vengo a ver.
—No me esperes. —Mañana
te abrazaré.

Uno, dos, tres,
uno, dos, tres,
los palos del telégrafo
junto a mi tren.[3]

CELIA VIÑAS

---

3 La alegría de viajar y recorrer los cuatro puntos cardinales, visitando y
saludando a gentes conocidas, se expresa con el marcado ritmo del poema,
que imita, por otra parte, el traqueteo del tren.

PATO

Quién fuera pato
para nadar, nadar por todo el mundo,
pato para viajar sin pasaporte
y repasar, pasar, pasar fronteras,
como quien pasa el rato.
Pato.
Patito vagabundo.
Plata del norte.
Oro del sur.[1] Patito danzaderas.
Permitidme, Dios mío, que sea pato.
¿Para qué tanto lío,
tanto papel,
ni tanta pamplina?[2]
Pato.

Mira, como aquél
que va por el río
tocando la bocina…

BLAS DE OTERO

---

1 **plata del norte**: la nieve; **oro del sur**: el sol.
2 **pamplina**: 'tontería, cosa inútil'. El poeta se refiere a que le gustaría no necesitar papeles ni pasaportes para recorrer libremente el mundo.

ADOLESCENCIA

Aquella tarde, al decirle
yo que me iba del pueblo,
me miró triste —¡qué dulce!—,
vagamente sonriendo.

Me dijo: ¿Por qué te vas?
Le dije: Porque el silencio
de estos valles me amortaja
como si estuviera muerto.[1]

—¿Por qué te vas? —He sentido
que quiere gritar mi pecho,
y en estos valles callados,
voy a gritar y no puedo.

Y me dijo: ¿Adónde vas?
Y le dije: Adonde el cielo
esté más alto, y no brillen
sobre mí tantos luceros.[2]

Hundió su mirada negra
allá en los valles desiertos,
y se quedó muda y triste,
vagamente sonriendo.

JUAN RAMÓN JIMÉNEZ

---

1 **amortajar**: envolver con una sábana a los muertos. El muchacho quiere marcharse de los valles donde vive porque no tienen bastantes alicientes para él, y por eso desea recorrer mundo.
2 **luceros**: estrellas.

CANCIÓN DEL PIRATA

Con diez cañones por banda,
viento en popa, a toda vela,
no corta el mar, sino vuela
un velero bergantín.[1]
Bajel[2] pirata que llaman,
por su bravura, el Temido,
en todo mar conocido
del uno al otro confín.

La luna en el mar rïela,[3]
en la lona gime el viento,
y alza en blando movimiento
olas de plata y azul;
y ve el capitán pirata,
cantando alegre en la popa,
Asia a un lado, al otro Europa,
y allá a su frente Estambul.[4]

«Navega, velero mío,
      sin temor,
que ni enemigo navío,
ni tormenta, ni bonanza[5]

---

1 **velero bergantín**: barco de dos palos o mástiles. Con el viento soplando
   por la parte posterior (**viento en popa**) y las velas del todo desplegadas
   (**a toda vela**), el barco pirata alcanza tal velocidad que parece que vuela.
2 **bajel**: barco.
3 **rïela**: tiembla al reflejarse en la superficie del agua.
4 **Estambul**: ciudad turca situada en ambas orillas del estrecho del Bósfo-
   ro, el cual separa Europa de Asia.
5 **bonanza**: tiempo tranquilo o sereno en el mar, sin que sople viento, por lo
   que los barcos de vela no pueden navegar.

tu rumbo a torcer alcanza,
ni a sujetar tu valor.

Veinte presas
hemos hecho
a despecho
del inglés,[6]
y han rendido
sus pendones[7]
cien naciones
a mis pies.

Que es mi barco mi tesoro,
que es mi dios la libertad,
mi ley, la fuerza y el viento,
mi única patria, la mar.[8]

Allá muevan feroz guerra
  ciegos reyes
por un palmo más de tierra;
que yo tengo aquí por mío
cuanto abarca el mar bravío,
a quien nadie impuso leyes.

Y no hay playa,
sea cualquiera,

---

6 **a despecho del inglés**: a pesar de los ingleses, cuyos poderosos barcos
  no han podido impedirle que haya apresado veinte navíos.
7 **rendir sus pendones**: entregar sus banderas, es decir, darse por venci-
  dos. El pirata se siente orgulloso de su valor y sus victorias.
8 El pirata es uno de los símbolos literarios más repetido de rebeldía y libertad. El estribillo insiste en su total independencia de las normas socia-
  les establecidas.

ni bandera
de esplendor,
que no sienta
mi derecho
y dé pecho[9]
a mi valor.

Que es mi barco mi tesoro,
que es mi dios la libertad,
mi ley, la fuerza y el viento,
mi única patria, la mar.

A la voz de "¡barco viene!"
   es de ver
cómo vira y se previene[10]
a todo trapo a escapar.[11]
Que yo soy el rey del mar,
y mi furia es de temer.

En las presas
yo divido
lo cogido

---

9 **dé pecho**: pague tributo, pague dinero.
10 **vira**: cambia bruscamente; **se previene**: se prepara.
11 **escapar a todo trapo**: escapar a toda vela, deprisa.

por igual.
Solo quiero
por riqueza
la belleza
sin rival.

Que es mi barco mi tesoro,
que es mi dios la libertad,
mi ley, la fuerza y el viento,
mi única patria, la mar.

Sentenciado estoy a muerte.
    Yo me río;
no me abandone la suerte,
y al mismo que me condena
colgaré de alguna entena[12]
quizá en su propio navío.

    Y si caigo,
    ¿qué es la vida?
    Por perdida
    ya la di,
    cuando el yugo
    del esclavo
    como un bravo
    sacudí.[13]

Que es mi barco mi tesoro,
que es mi dios la libertad,

---

12 **entena**: antena, palo atravesado sobre el mástil y del que cuelga la vela.
13 Esto es, 'cuando me liberé de la opresión en que, como esclavo, me tenían'.

mi ley, la fuerza y el viento,
mi única patria, la mar.

Son mi música mejor
        aquilones,[14]
el estrépito y temblor
de los cables[15] sacudidos,
del negro mar los bramidos
y el rugir de mis cañones.

---

14 **aquilón**: viento del norte.
15 **cables**: maromas, cuerdas gruesas que sujetan las velas.

Y del trueno
al son violento,
y del viento
al rebramar,
yo me duermo
sosegado,
arrullado[16]
por el mar.

Que es mi barco mi tesoro,
que es mi dios la libertad,
mi ley, la fuerza y el viento,
mi única patria, la mar».

JOSÉ DE ESPRONCEDA

16 **arrullado**: adormecido.

Otros países, otras gentes

SENSUALIDAD NEGRA

Por la calle del Pozo
ya viene la negra,
por la calle del Pozo
a buscar agua fresca.

La negra Catana,
la negra más linda,
a quien todas las negras
y más de una blanca
le tienen envidia.
Hay que ver en sus ojos
la luz cómo brilla,
su cuerpo de junco[1]
cuando ella camina.

Su vegetal cintura
de gaita cenceña[2]
la lata del agua
¡cómo la quiebra![3]

Los ardientes bogas[4]
dicen cuando pasa
palabras tremendas:

—Compadre, mírele el pie
¡cómo arrastra la chancleta!

---

1 **de junco**: delgado y flexible, como los tallos de esta planta.
2 **gaita cenceña**: flauta delgada.
3 Al caminar cargada con una lata de agua, la mujer se ve obligada a mover
  mucho las caderas, por lo que se le *quiebra* la cintura.
4 **bogas**: bogadores, remeros.

—¡Cómo levanta el talón!
—¡Los pechos cómo le tiemblan!

—¡Repare en el movimiento
de bullerengue⁵ que lleva!

—¡Ay, negra, yo así me caso
corriendo, por la iglesia!

—¡Me llamo Quico Covilla,
me tienes el corazón
hecho un tiesto de cocina!⁶

La negra Catana
sonríe con su risa
de cascabel de plata
que tanto le envidian.

JORGE ARTEL

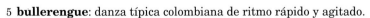

5 **bullerengue**: danza típica colombiana de ritmo rápido y agitado.
6 **tiesto**: 'vasija o cacharro de cocina'. Quiere decir que su corazón le arde
   por amor.

SAGA[1]

Avanza libremente
entre los témpanos,
en los fiordos helados,[2]
la nave como un pájaro.

La proa[3] delgadísima,
se alza
airosa, en suave curva,
avizorando los leones marinos[4]
y el blanco sobre el blanco
de los osos polares en la nieve.

«¡Adiós, Escandinavia: con nosotros
va Odín, y nos llevamos
el martillo de Thor!»[5]

Irlanda, Escocia, Islandia
¡la fantástica Islandia, hielo y fuego!

Y luego, como un sueño
del Ártico, Groenlandia,
tierra verde en los hielos.[6]

---

1 **saga**: relato medieval que narra las hazañas de los antiguos héroes escandinavos. Este poema se refiere a Erik el Rojo, que hacia el año 985 llegó con sus naves vikingas a Groenlandia y, posiblemente, a Norteamérica.

2 **fiordos**: golfos estrechos y profundos en las costas de Noruega, en los que flotan trozos planos de hielo (**témpanos**).

3 **proa**: parte delantera del barco que va cortando el agua.

4 **avizorar**: mirar con atención; **león marino**: mamífero parecido a la foca.

5 **Escandinavia** es el nombre que designa conjuntamente a los países de Noruega, Suecia y Dinamarca. **Odín** es el dios escandinavo de la guerra y su hijo **Thor** es el dios del trueno.

6 Erik el Rojo puso el nombre a **Groenlandia** ('país verde').

Y cercana
—pero otro mundo ya, bajo los mismos
cielos purísimos y transparentes—,
la dulce Vinland, tierra de viñedos.

Su nombre cristalino
enterrado quizás bajo un macizo
y lapidario nombre: Terranova.[7]

El pájaro vikingo
por los mares del Norte va dejando
solitarias hogueras, en las costas
heladas y desiertas.

ARAMÍS QUINTERO

---

7 El nombre latino de **Terranova** ('tierra nueva') es duro y frío como una
piedra o lápida (**macizo** y **lapidario**) frente al más poético (**cristalino**)
de **Vinland** ('tierra de viñedos').

MAGREB[1]

Bajo el cielo, de pronto, el oasis perenne.[2]
Eran las tierras rojas, y el río, lenta sierpe.[3]
¡Qué fresco el palmeral con los olivos verdes!
Volaban las palomas en bandadas clementes.[4]
Habían florecido los rosales silvestres.
Dispersos, tres muchachos con túnicas celestes.

FRANCISCO BRINES

1 **Magreb**: región del norte de África que comprende los países de Marruecos, Argelia y Túnez.
2 **perenne**: permanente, que no cambia.
3 **sierpe**: serpiente.
4 **clementes**: apacibles, tranquilas.

LA AURORA[1]

La aurora de Nueva York tiene
cuatro columnas de cieno
y un huracán de negras palomas
que chapotean las aguas podridas.

La aurora de Nueva York gime[2]
por las inmensas escaleras[3]
buscando entre las aristas
nardos de angustia dibujada.

La aurora llega y nadie la recibe en su boca
porque allí no hay mañana ni esperanza posible:[4]
A veces las monedas en enjambres furiosos
taladran[5] y devoran abandonados niños.

Los primeros que salen comprenden con sus huesos
que no habrá paraíso ni amores deshojados;
saben que van al cieno de números y leyes,
a los juegos sin arte, a sudores sin fruto.

---

1 **aurora**: amanecer.
2 **gime**: se lamenta de dolor.
3 Los edificios de Nueva York suelen tener en el exterior escaleras de incen-
dios de hierro.
4 Lorca expresa en estos versos una visión angustiada de la ciudad de los
rascacielos, que el poeta conoció en plena crisis económica de 1929. La naturaleza, simbolizada por la aurora, ha sido degradada y destruida: por
eso las palomas son negras y las aguas están podridas.
5 **taladran**: agujerean.

La luz es sepultada por cadenas y ruidos
en impúdico[6] reto de ciencia sin raíces.
Por los barrios hay gentes que vacilan insomnes[7]
como recién salidas de un naufragio de sangre.[8]

FEDERICO GARCÍA LORCA

6 **impúdico**: que no siente vergüenza de mostrar lo más íntimo o de exhibir las fealdades del cuerpo o de otra clase.
7 **insomnes**: que no pueden dormir.
8 El poeta quiere expresar el horror y la angustia de la vida en Nueva York con imágenes propias de una pesadilla, en la cual el dinero (**monedas en enjambres furiosos**), la vida mecanizada y artificial (**cadenas y ruidos**) o la esclavitud del trabajo (**sudores sin fruto**) acaban con la vida pura en contacto con la naturaleza (**paraíso, amores deshojados**) y con toda esperanza de futuro (**luz sepultada, naufragio de sangre**).

En el reino del amor

MAÑANA DE PRIMAVERA

¡Mañana de primavera!
Vino ella a besarme, cuando
una alondra[1] mañanera
subió del surco,[2] cantando:
«¡Mañana de primavera!».

Le hablé de una mariposa
blanca, que vi en el sendero;
y ella, dándome una rosa,
me dijo: «¡Cuánto te quiero!
¡No sabes lo que te quiero!».

---

1 **alondra**: pájaro de color pardo con un collar negro que anida en los campos de cereales y empieza a cantar apenas amanece.
2 **surco**: zanja que deja el arado en la tierra al labrar.

¡Guardaba en sus labios rojos
tantos besos para mí!
Yo le besaba los ojos…
—¡Mis ojos son para ti;
tú para mis labios rojos!

El cielo de primavera
era azul de paz y olvido…
Una alondra mañanera
cantó en el huerto aún dormido.
Luz y cristal su voz era
en el surco removido…
¡Mañana de primavera![3]

JUAN RAMÓN JIMÉNEZ

---

3 La primavera, estación en que la naturaleza despierta y vuelve a la vida,
es también la estación del amor.

RIMAS

¿Qué es poesía?, dices mientras clavas
en mi pupila tu pupila azul.
¡Qué es poesía! ¿Y tú me lo preguntas?
Poesía... eres tú.

Por una mirada, un mundo;
por una sonrisa, un cielo;
por un beso... yo no sé
qué te diera por un beso.

Dices que tienes corazón, y sólo
lo dices porque sientes sus latidos;
eso no es corazón... es una máquina
que al compás que se mueve hace ruido.

GUSTAVO ADOLFO BÉCQUER

OTOÑO

¡Qué dulces las uvas dulces!...
¡Qué verdes tus ojos claros!...

Tú me mirabas, mirabas;
yo comía, grano a grano...

Y, de pronto, te inclinaste,
y me tomaste en los labios,
húmedos de zumo y risas,
un beso goloso y largo.

ÁNGELA FIGUERA

FRUTOS DEL AMOR

Amarillo limón, fresca naranja,
los tira el cielo y los recoge el agua.

Cuando probé los frutos de tu huerto
el rocío mojó todos mis sueños.[1]

¿Qué pudo hacer mi corazón alado
sino abrirse en tus ramos?

Pasaban las palomas en bandadas:
llevaban nuestros nombres en las alas.

Llevaban nuestros nombres en el pico:
Fruta era el tuyo y sed de fruta el mío.

ANTONIO CARVAJAL

---

1 El poeta compara al ser amado con un árbol cuyos frutos encienden el
amor en quien los prueba.

SOLEARES, SEGUIDILLAS Y OTRAS COPLAS

Cuando a tu cara me acerco,
las palabras, en la boca,
se me convierten en besos.

Cuando me miras, me matas...
Y si no me miras, más.
Son puñales que me clavas
y los vuelves a sacar.

Cuéntame tus penas,
te diré las mías...
Verás cómo al rato de que estemos juntos
todas se te olvidan.

El cariño y la salud
en un punto[1] se parecen.
Nadie sabe lo que valen
hasta después que se pierden.

MANUEL MACHADO

1 **punto**: detalle, aspecto.

AMOR MÁS PODEROSO QUE LA MUERTE

Conde Niño por amores
es niño y pasó la mar;[1]
va a dar agua a su caballo
la mañana de San Juan.
Mientras el caballo bebe,
él canta dulce cantar;
todas las aves del cielo
se paraban a escuchar,
caminante que camina
olvida su caminar,
navegante que navega
la nave vuelve hacia allá.

La reina estaba labrando,[2]
la hija durmiendo está:
—Levantaos, Albaniña,
de vuestro dulce folgar,[3]
sentiréis cantar hermoso
la sirenita del mar.
—No es la sirenita, madre,
la de tan bello cantar,
sino es el conde Niño
que por mí quiere finar.[4]
¡Quién le pudiese valer[5]
en su tan triste penar!

---

1 Aunque es pequeño, el conde Niño ha pasado la mar para ver a su amada.
2 **labrando**: cosiendo o bordando.
3 **folgar**: descansar.
4 **finar**: morir.
5 **valer**: ayudar.

—Si por tus amores pena,
¡oh, malhaya[6] su cantar!,
y porque nunca los goce,
yo le mandaré matar.
—Si le manda matar, madre,
juntos nos han de enterrar.

Él murió a la medianoche,
ella a los gallos cantar;
a ella, como hija de reyes,
la entierran en el altar;
a él, como hijo de conde,
unos pasos más atrás.
De ella nació un rosal blanco,
de él nació un espino albar;[7]
crece el uno, crece el otro,

---

6 **malhaya**: maldito sea.
7 **espino albar**: espino blanco, arbusto con pequeñas flores blancas de aroma suave que cubren totalmente la planta en primavera.

los dos se van a juntar;
las ramitas que se alcanzan
fuertes abrazos se dan,
y las que no se alcanzaban
no dejan de suspirar.
La reina, llena de envidia,
ambos los mandó cortar;
el galán que los cortaba
no cesaba de llorar.
De ella naciera una garza,[8]
de él un fuerte gavilán,
juntos vuelan por el cielo,
juntos vuelan par a par.

ANÓNIMO

8 **garza**: ave zancuda de pico largo y negro y plumas de color gris claro.

RIMA

Dos rojas lenguas de fuego
que, a un mismo tronco enlazadas,
se aproximan, y al besarse
forman una sola llama;

dos notas que del laúd[1]
a un tiempo la mano arranca,
y en el espacio se encuentran
y armonïosas se abrazan;

dos olas que vienen juntas
a morir sobre una playa,
y que al romper se coronan
con un penacho de plata;[2]

dos jirones[3] de vapor
que del lago se levantan,
y al juntarse allá en el cielo
forman una nube blanca;

dos ideas que al par brotan,
dos besos que a un tiempo estallan,
dos ecos que se confunden...,
eso son nuestras dos almas.

GUSTAVO ADOLFO BÉCQUER

---

1 **laúd**: instrumento musical de cuerda.
2 **penacho**: grupo de plumas que tienen algunas aves en la cabeza (aquí se usa con el sentido de 'espuma'); **de plata**: blanco.
3 **jirones**: fragmentos.

LÍRICA TRADICIONAL

Vuestros son mis ojos,
Isabel,
vuestros son mis ojos
y mi corazón también.

Madre mía, aquel pajarillo
que canta en el ramo verde,
rogadle vos que no cante,
pues mi niña ya no me quiere.

Pasas por mi calle,
no me quieres ver:
corazón de acero
debes de tener.

Diga quien dijere,
quien dijere diga,
que el amor primero
por jamás se olvida.

ANÓNIMOS

ROMANCE DE LA CONDESITA

Grandes guerras se publican[1]
en la tierra y en el mar,
y al conde Flores le nombran
por capitán general.
Lloraba la condesita,
no se puede consolar;
acaban de ser casados,
y se tienen que apartar:
—¿Cuántos días, cuántos meses,
piensas estar por allá?
—Deja los meses, condesa,
por años debes contar;
si a los tres años no vuelvo,
viuda te puedes llamar.

Pasan los tres y los cuatro,
nuevas[2] del conde no hay;
ojos de la condesita
no cesaban de llorar.
Un día, estando a la mesa,
su padre le empieza a hablar:
—Cartas del conde no llegan,
nueva vida tornarás;[3]
condes y duques te piden,
te debes, hija, casar.
—Carta en mi corazón tengo

---

1 Esto es, 'se anuncia que se declara la guerra al enemigo'.
2 **nuevas**: noticias.
3 Es decir, 'has de cambiar de vida'.

que don Flores vivo está.
No lo quiera Dios del cielo
que yo me vuelva a casar.
Dame licencia,[4] mi padre,
para el conde ir a buscar.
—La licencia tienes, hija,
mi bendición además.
Se retiró a su aposento[5]
llora que te llorarás;
se quitó medias de seda,
de lana las fue a calzar;
dejó zapatos de raso,
los puso de cordobán;[6]
un brial[7] de seda verde,
que valía una ciudad,
y encima del brial puso
un hábito de sayal;[8]
esportilla de romera[9]
sobre el hombro se echó atrás;
cogió el bordón[10] en la mano,
y se fue a peregrinar.

---

4 **licencia**: permiso.
5 **aposento**: habitación.
6 **cordobán**: piel de cabra curtida. La condesita sustituye sus zapatos de **raso** (tela de seda muy lisa y brillante) por otros más pobres para pasar desapercibida.
7 **brial**: túnica o vestido de tela muy fina y rica que llegaba hasta los pies y que sólo usaban las reinas o señoras muy importantes.
8 **hábito**: vestido que usan las personas de una orden religiosa, en este caso de **sayal**, tela de lana muy basta.
9 **esportilla**: capazo de esparto o de palma para llevar las provisiones. **Romera** es la mujer que lleva a cabo una romería o peregrinación.
10 **bordón**: bastón muy alto que usaban los peregrinos.

Anduvo siete reinados,
morería y cristiandad;
anduvo por mar y tierra,
no pudo al conde encontrar;
cansada va la romera,
que ya no puede andar más.
Subió a un puerto, miró al valle,
un castillo vio asomar:
«Si aquel castillo es de moros,
allí me cautivarán;
mas si es de buenos cristianos,
ellos me han de remediar».
Y bajando unos pinares,
gran vacada fue a encontrar:
—Vaquerito, vaquerito,
te quería preguntar
¿de quién llevas tantas vacas,
todas de un hierro y señal?[11]
—Del conde Flores, romera,
que en aquel castillo está.
—Vaquerito, vaquerito,
más te quiero preguntar
del conde Flores tu amo,
¿cómo vive por acá?
—De la guerra llegó rico;
mañana se va a casar;
ya están muertas las gallinas,
y están amasando el pan;

---

11 El **hierro** o **señal** es la marca que se le pone al ganado con un hierro ardiendo para identificar a su propietario.

muchas gentes convidadas,
de lejos llegando van.
—Vaquerito, vaquerito,
por la Santa Trinidad,
por el camino más corto
me has de encaminar allá.

Jornada de todo un día,
en medio la hubo de andar;
llegada frente al castillo,
con don Flores fue a encontrar
y arriba vio estar la novia
en un alto ventanal.

—Dame limosna, buen conde,
por Dios y su caridad.
—¡Oh, qué ojos de romera,
en mi vida los vi tal!

—Sí los habrás visto, conde,
si en Sevilla estado has.
—La romera ¿es de Sevilla?
¿Qué se cuenta por allá?
—Del conde Flores, señor,
poco bien y mucho mal.

Echó la mano al bolsillo,
un real de plata le da.
—Para tan grande señor,
poca limosna es un real.
—Pues pida la romerica,
que lo que pida tendrá.
—Yo pido ese anillo de oro
que en tu dedo chico está.

Abriose de arriba abajo
el hábito de sayal:

—¿No me conoces, buen conde?
Mira si conocerás
el brial de seda verde
que me diste al desposar.

Al mirarla en aquel traje,
cayose el conde hacia atrás.
Ni con agua ni con vino
no lo pueden recordar,[12]
si no es con palabras dulces
que la romera le da.

---

12 **recordar**: despertar, volver en sí.

La novia bajó llorando
al ver al conde mortal;
y abrazando a la romera
se lo ha venido a encontrar.
—Malas mañas[13] sacas, conde,
no las podrás olvidar;
que en viendo una buena moza,
luego[14] la vas a abrazar.
Malhaya,[15] la romerica,
quien te trajo para acá.
—No la maldiga ninguno,
que es mi mujer natural.
Con ella vuelvo a mi tierra;
adiós, señores, quedad;
quédese con Dios la novia,
vestidica y sin casar;
que los amores primeros
son muy malos de olvidar.

ANÓNIMO

---

13 **malas mañas**: engaños, trampas.
14 **luego**: enseguida.
15 **malhaya**: maldito sea.

LA REINA

Yo te he nombrado reina.
Hay más altas que tú, más altas.
Hay más puras que tú, más puras.
Hay más bellas que tú, más bellas.
Pero tú eres la reina.[1]

Cuando vas por las calles
nadie te reconoce.
Nadie ve tu corona de cristal, nadie mira
la alfombra de oro rojo
que pisas donde pasas,
la alfombra que no existe.

Y cuando asomas
suenan todos los ríos
en mi cuerpo, sacuden
el cielo las campanas,
y un himno llena el mundo.

Sólo tú y yo,
sólo tú y yo, amor mío,
lo escuchamos.[2]

PABLO NERUDA

---

1 Para el enamorado, la amada es la mejor y la más hermosa de todas las mujeres; por eso dice que es su reina, aunque sepa que otras son más bellas.
2 El amor transforma y embellece al ser amado y el mundo; pero sólo los enamorados ven y sienten el cambio; por eso «nadie ve tu corona de cristal» y sólo ellos oyen el «himno que llena el mundo».

EL DESAYUNO

Me gustas cuando dices tonterías,
cuando metes la pata, cuando mientes,
cuando te vas de compras con tu madre
y llego tarde al cine por tu culpa.
Me gustas más cuando es mi cumpleaños
y me cubres de besos y de tartas,
o cuando eres feliz y se te nota,
o cuando eres genial con una frase
que lo resume todo, o cuando ríes
(tu risa es una ducha en el infierno),
o cuando me perdonas un olvido.
Pero aún me gustas más, tanto que casi
no puedo resistir lo que me gustas,
cuando, llena de vida, te despiertas
y lo primero que haces es decirme:
«Tengo un hambre feroz esta mañana.
Voy a empezar contigo el desayuno».[1]

LUIS ALBERTO DE CUENCA

---

1 El poeta expresa con un lenguaje coloquial y un tono humorístico la alegría de amar y sentirse amado.

Caminemos de la mano

LA RUEDA DE LA PAZ

A la rueda
del pipirigayo.

Niños de la tierra,
unid vuestras manos.

A la rueda rueda
del ajonjolí.

Unid vuestras manos
para no morir.

A la rueda rueda
del miramelindo.

Si la guerra viene,
morirán los niños.

A la rueda rueda
que no rueda más.

Paz para los niños.
Paz.[1]

JUAN REJANO

---

1 **rueda**: corro, juego infantil que consiste en dar vueltas cogidos de las manos y cantando. El poeta solicita la paz en nombre de los niños, víctimas inocentes de todas las guerras. **Pipirigayo**, **ajonjolí** y **miramelindo** son tres clases de plantas que se citan aquí por su sonoridad, intensificada con la rima.

ODA[1] A LA TRISTEZA

Tristeza, escarabajo
de siete patas rotas,
huevo de telaraña,
rata descalabrada,[2]
esqueleto de perra:
Aquí no entras.
No pasas.
Ándate.[3]
Vuelve
al sur con tu paraguas,
vuelve
al norte con tus dientes de culebra.
Aquí vive un poeta.
La tristeza no puede
entrar por estas puertas.
Por las ventanas
entra el aire del mundo,
las rojas rosas nuevas,
las banderas bordadas
del pueblo y sus victorias.
No puedes.
Aquí no entras.[4]
Sacude
tus alas de murciélago,

---

1 **oda**: poema.
2 **descalabrada**: herida en la cabeza.
3 **ándate**: vete.
4 El poeta no quiere que la tristeza se apodere de su casa y de su corazón, pues es negativa y fea como los animales que menciona, y le impediría cantar la belleza del mundo y la lucha triunfante de los trabajadores.

yo pisaré las plumas
que caen de tu manto,
yo barreré los trozos
de tu cadáver hacia
las cuatro puntas del viento,
yo te torceré el cuello,
te coseré los ojos,
cortaré tu mortaja[5]
y enterraré, tristeza, tus huesos roedores
bajo la primavera de un manzano.

PABLO NERUDA

5 **cortaré tu mortaja**: haré la vestidura con que se envuelva tu cadáver.

EN LA INMENSA MAYORÍA

Podrá faltarme el aire,
el agua,
el pan,
sé que me faltarán.

El aire, que no es de nadie.
El agua, que es del sediento.
El pan... Sé que me faltarán.

La fe, jamás.

Cuanto menos aire, más.
Cuanto más sediento, más.
Ni más ni menos. Más.[1]

BLAS DE OTERO

---

1 Aunque al poeta le falten las cosas más necesarias para vivir (el aire, el
agua, el pan), que deberían ser de todos, no perderá la fe «en la inmensa
mayoría», en sus hermanos los hombres. Cuanto más sufrimiento e injusticia padezca el pueblo, con mayor brío luchará el poeta con su palabra y
su poesía para defenderlo.

BARES

Amo los bares y las tabernas
junto al mar,
donde la gente charla y bebe
sólo por beber y charlar.
Donde Juan Nadie llega y pide
su trago elemental
y está Juan Bronco[1] y Juan Navaja
y Juan Narices y hasta Juan
Simple, el sólo, el simplemente
Juan.

Allí la blanca ola
bate de la amistad;
una amistad de pueblo, sin retórica,
una ola de ¡hola! y ¿cómo estás?[2]

---

1 **Juan Bronco**: de mal carácter, violento.
2 La amistad es una ola blanca que invade y golpea (**bate**) los bares y tabernas de los puertos, donde se reúnen para beber y hablar de forma natural y sencilla (**sin retórica**) las gentes más diversas.

Allí huele a pescado,
a mangle,[3] a ron, a sal
y a camisa sudada puesta a secar al sol.

Búscame, hermano, y me hallarás
(en La Habana, en Oporto,
en Jacmel, en Shangai)[4]
con la sencilla gente
que sólo por beber y charlar
puebla los bares y tabernas
junto al mar.

NICOLÁS GUILLÉN

3 **mangle**: arbusto tropical cuyas hojas y frutos se emplean para tratar las pieles de los animales.
4 Diferentes ciudades con puerto de mar: La Habana, en Cuba; Oporto, en Portugal; Jacmel, en Haití; Shangai, en China.

UNA ROSA BLANCA

Cultivo una rosa blanca,
en julio como en enero,
para el amigo sincero
que me da su mano franca.[1]

Y para el cruel que me arranca
el corazón con que vivo,
cardo ni oruga cultivo:
cultivo una rosa blanca.[2]

JOSÉ MARTÍ

---

1 **franca**: abierta, leal.

2 El poeta es generoso con todos, tanto con los amigos como con los que lo tratan mal. Y a estos últimos no les paga con la misma moneda (el **cardo** es una planta de hojas espinosas y la **oruga** otra planta de hojas picantes), sino que les ofrece lo mejor y más hermoso de sí mismo, **una rosa blanca**.

NADIE ESTÁ SOLO

En este mismo instante
hay un hombre que sufre,
un hombre torturado
tan sólo por amar
la libertad.

      Ignoro
dónde vive, qué lengua
habla, de qué color
tiene la piel, cómo
se llama, pero
en este mismo instante,
cuando tus ojos leen
mi pequeño poema,
ese hombre existe, grita,
se puede oír su llanto
de animal acosado,
mientras muerde sus labios
para no denunciar
a los amigos. ¿Oyes?

Un hombre solo
grita maniatado, existe
en algún sitio.
      ¿He dicho solo?
¿No sientes, como yo,
el dolor de su cuerpo
repetido en el tuyo?
¿No te mana la sangre
bajo los golpes ciegos?

Nadie está solo. Ahora,
en este mismo instante,
también a ti y a mí
nos tienen maniatados.[1]

JOSÉ AGUSTÍN GOYTISOLO

---

1 Por desgracia, en muchos lugares de la tierra se sigue persiguiendo y tor-
turando a personas tan solo porque defienden otras ideas y luchan por la
libertad. El poeta nos pide que no seamos insensibles al dolor de esas personas, pues cuando alguien sufre o pierde su libertad, nos la están qui-
tando también a nosotros (**nos tienen maniatados**), ya que la humani-
dad como tal forma un solo cuerpo: nadie debe estar solo ni nadie debe vivir cerrando los ojos ante los sufrimientos de los demás.

DISTINTO

Lo querían matar
los iguales,
porque era distinto.[1]

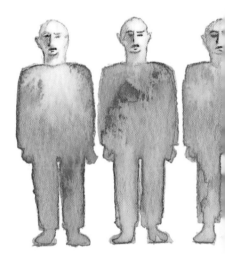

Si veis un pájaro distinto,
tiradlo;
si veis un monte distinto,
caedlo;
si veis un camino distinto,
cortadlo;
si veis una rosa distinta,
deshojadla;
si veis un río distinto,
cegadlo...
si veis un hombre distinto,
matadlo.

¿Y el sol y la luna
dando en lo distinto?[2]

Altura, olor, largor,[3] frescura, cantar, vivir
distinto
de lo distinto;
lo que seas, que eres
distinto

---

1 **Los iguales** son aquellas personas que piensan y actúan de un modo es-
tablecido y no admiten que otros sean y piensen de otra manera; los iguales son, por ejemplo, personas intolerantes, racistas y autoritarias que
persiguen a quienes son distintos a ellos.
2 El sol y la luna son únicos, y, por tanto, distintos.
3 **largor**: palabra inventada por el poeta que quiere decir 'longitud'.

(monte, camino, rosa, río, pájaro, hombre):
si te descubren los iguales
huye a mí,
ven a mi ser, mi frente, mi corazón distinto.[4]

JUAN RAMÓN JIMÉNEZ

---

4 Si la naturaleza es variada y no hay monte o río igual a otro, lo mismo sucede con los seres humanos: todos somos distintos; y lo que nos diferencia a unos de otros enriquece las relaciones humanas. El poeta, una persona que, por su gran sensibilidad, suele ser aún más distinta a los demás, se solidariza con los perseguidos y les ofrece su apoyo.

LOS MOTIVOS DEL LOBO

El varón que tiene corazón de lis,
alma de querube, lengua celestial,
el mínimo y dulce Francisco de Asís,[1]
está con un rudo y torvo[2] animal,
bestia temerosa, de sangre y de robo
las fauces[3] de furia, los ojos de mal;
el lobo de Gubbia,[4] el terrible lobo,
rabioso ha asolado[5] los alrededores,
crüel ha deshecho todos los rebaños;
devoró corderos, devoró pastores,
y son incontables sus muertes y daños.

Fuertes cazadores armados de hierros
fueron destrozados. Los duros colmillos
dieron cuenta de los más bravos perros,
como de cabritos y de corderillos.

Francisco salió;
al lobo buscó
en su madriguera.
Cerca de la cueva encontró la fiera

---

1 Hijo de un rico comerciante de la ciudad italiana de Asís, san Francisco (1182-1226) renunció al lujo e hizo de la humildad y de la pobreza su norma de vida. San Francisco sintió un gran amor por la naturaleza y los animales. Su sermón a los pájaros y el episodio del lobo que en este poema se narra son famosos. El poeta dice que Francisco tiene corazón de lirio (**lis**) por la pureza que esta flor blanca simboliza, alma de ángel (**querube**) por su bondad, y **lengua celestial** por sus dotes de predicador.

2 **rudo**: violento, salvaje; **torvo**: fiero, espantoso.

3 **fauces**: parte interior de la boca de los animales fieros.

4 **Gubbia**: Gubbio, ciudad italiana en la región de Umbría, cerca de Asís.

5 **ha asolado**: ha arrasado y destruido.

enorme, que al verle se lanzó feroz
contra él. Francisco, con su dulce voz,
alzando la mano,
al lobo furioso dijo: «¡Paz, hermano
lobo!». El animal
contempló al varón de tosco sayal;[6]
dejó su aire arisco,
cerró las abiertas fauces agresivas,
y dijo: «¡Está bien, hermano Francisco!».
«¡Cómo!», exclamó el santo. «¿Es ley que tú vivas
de horror y de muerte?
La sangre que vierte
tu hocico diabólico, el duelo y espanto
que esparces, el llanto
de los campesinos, el grito, el dolor
de tanta criatura de Nuestro Señor,
¿no han de contener tu encono infernal?
¿Vienes del infierno?
¿Te han infundido, acaso, su rencor eterno
Luzbel o Belial?».[7]
Y el gran lobo, humilde: «¡Es duro el invierno,
y es horrible el hambre! En el bosque helado
no hallé qué comer; y busqué el ganado,
y a veces comí ganado y pastor.
¿La sangre? Yo vi más de un cazador
sobre su caballo, llevando el azor[8]
al puño; o correr tras el jabalí,

---

6 **de tosco sayal**: (vestido) con un hábito de lana muy basta.
7 El lobo actúa con un rencor y odio (**encono**) propios de **Luzbel** o **Belial**, nombres con los que se conoce también al demonio.
8 **azor**: ave rapaz que se utiliza para cazar.

el oso o el ciervo; y a más de uno vi
mancharse de sangre, herir, torturar,
de las roncas trompas al sordo clamor,
a los animales de Nuestro Señor.
Y no era por hambre, que iban a cazar».
Francisco responde: «En el hombre existe
mala levadura.[9]

Cuando nace, viene con pecado. Es triste.
Mas el alma simple de la bestia, es pura.
Tú vas a tener
desde hoy qué comer.
Dejarás en paz
rebaños y gente en este país.
¡Que Dios melifique tu ser montaraz!».[10]

---

9 **levadura**: sustancia que se emplea en la fabricación del pan. Aquí se emplea en sentido figurado para indicar que el hombre, por culpa del pecado original, no es perfecto y puede obrar mal.

10 'Que Dios haga dulce como la miel (**melifique**) tu naturaleza salvaje (**montaraz**)'.

«Está bien, hermano Francisco de Asís».
«Ante el Señor, que todo ata y desata,
en fe de promesa tiéndeme la pata».
El lobo tendió la pata al hermano
de Asís, que a su vez le alargó la mano.
Fueron a la aldea. La gente veía
y lo que miraba casi no creía.
Tras el religioso iba el lobo fiero,
y, baja la testa,[11] quieto le seguía
como un can de casa,[12] o como un cordero.

Francisco llamó la gente a la plaza
y allí predicó.
Y dijo: «He aquí una amable caza.
El hermano lobo se viene conmigo;
me juró no ser ya vuestro enemigo,
y no repetir su ataque sangriento.
Vosotros, en cambio, daréis su alimento

11 **testa**: cabeza.
12 **can de casa**: perro fiel y tranquilo.

a la pobre bestia de Dios». «¡Así sea!»,
contestó la gente toda de la aldea.
Y luego, en señal
de contentamiento,
movió testa y cola el buen animal,
y entró con Francisco de Asís en el convento.[13]

*

Algún tiempo estuvo el lobo tranquilo
en el santo asilo.
Sus bastas orejas los salmos[14] oían
y los claros ojos se le humedecían.

Aprendió mil gracias y hacía mil juegos
cuando a la cocina iba con los legos.[15]
Y cuando Francisco su oración hacía,
el lobo las pobres sandalias lamía.

---

13 Este episodio, que se cuenta en el libro *Las florecillas de san Francisco*, acaba con la pacífica convivencia de los hombres y el lobo, que muere de viejo al cabo de unos dos años con gran pena de todos. En cambio, Rubén Darío nos ofrece un final diferente…

14 **salmo**: canto de alabanza a Dios.

15 **legos**: personas que viven en un convento sin ser frailes y se ocupan de las tareas domésticas.

Salía a la calle,
iba por el monte, descendía al valle,
entraba en las casas y le daban algo
de comer. Mirábanle como a un manso galgo.
Un día, Francisco se ausentó. Y el lobo
dulce, el lobo manso y bueno, el lobo probo,[16]
desapareció, tornó a la montaña,
y recomenzaron su aullido y su saña.[17]
Otra vez sintiose el temor, la alarma,
entre los vecinos y entre los pastores;
colmaba el espanto los alrededores,
de nada servían el valor y el arma
pues la bestia fiera
no dio treguas a su furor jamás,
como si tuviera
fuegos de Moloch[18] y de Satanás.

Cuando volvió al pueblo el divino santo,
todos le buscaron con quejas y llanto,
y con mil querellas[19] dieron testimonio
de lo que sufrían y perdían tanto
por aquel infame[20] lobo del demonio.

Francisco de Asís se puso severo.[21]
Se fue a la montaña
a buscar al falso lobo carnicero.

---

16 **probo**: honrado.
17 **saña**: furia cruel.
18 **Moloch**: dios del fuego que exigía sacrificios humanos.
19 **querellas**: lamentos.
20 **infame**: malvado.
21 **severo**: muy serio y duro.

Y junto a su cueva halló a la alimaña.[22]
«En nombre del Padre del sacro universo,
conjúrote», dijo, «¡oh lobo perverso!,
a que me respondas: ¿Por qué has vuelto al mal?
Contesta. Te escucho».
Como en sorda lucha, habló el animal,
la boca espumosa y el ojo fatal:
«Hermano Francisco, no te acerques mucho...
Yo estaba tranquilo, allá en el convento;
al pueblo salía,
y si algo me daban estaba contento
y manso comía.
Mas empecé a ver que en todas las casas
estaban la Envidia, la Saña,[23] la Ira,
y en todos los rostros ardían las brasas
de odio, de lujuria, de infamia[24] y mentira.
Hermanos a hermanos hacían la guerra,
perdían los débiles, ganaban los malos,
hembra y macho eran como perro y perra,
y un buen día todos me dieron de palos.
Me vieron humilde, lamía las manos
y los pies. Seguía tus sagradas leyes:
todas las criaturas eran mis hermanos,
los hermanos hombres, los hermanos bueyes,
hermanas estrellas y hermanos gusanos.
Y así, me apalearon y me echaron fuera.
Y su risa fue como un agua hirviente,

---

22 **alimaña**: animal salvaje dañino.
23 **saña**: furia con que se lucha.
24 **lujuria**: deseo sexual exagerado o vicioso; **infamia**: maldad.

y entre mis entrañas revivió la fiera,
y me sentí lobo malo de repente;
mas siempre mejor que esa mala gente.[25]
Y recomencé a luchar aquí,
a me defender y a me alimentar,
como el oso hace, como el jabalí,
que para vivir tienen que matar.
Déjame en el monte, déjame en el risco,[26]
déjame existir en mi libertad;
vete a tu convento, hermano Francisco,
sigue tu camino y tu santidad».

El santo de Asís no le dijo nada.
Le miró con una profunda mirada,
y partió con lágrimas y con desconsuelos,
y habló al Dios eterno con su corazón.
El viento del bosque llevó su oración,
que era: «Padre nuestro, que estás en los cielos...»[27]

RUBÉN DARÍO

---

25 Los hombres olvidan pronto el mensaje de amor de san Francisco, y se
muestran crueles con los que lo ponen en práctica, como el lobo. Éste, en
su fiereza animal, es más noble que los hombres.
26 **risco**: peñasco alto y difícil de escalar.
27 El hermano Francisco acaba rezando por los hombres.

CANCIÓN

Creemos el hombre nuevo
cantando.

El hombre nuevo de España,
cantando.

El hombre nuevo del mundo,
cantando.

Canto esta noche de estrellas
en que estoy solo, desterrado.

Pero en la tierra no hay nadie
que esté solo si está cantando.[1]

---

1 Alberti escribió este poema en América, donde vivió tras verse obligado a
abandonar España al finalizar la guerra civil en 1939. Con su canto —su
poesía— quiere contribuir a crear un hombre nuevo más justo y solidario,
a la vez que éste le ayuda a sentirse vivo y acompañado.

Al árbol lo acompañan las hojas,
y si está seco ya no es árbol.

Al pájaro, el viento, las nubes,
y si está mudo ya no es pájaro.

Al mar lo acompañan las olas
y su canto alegre los barcos.

Al fuego, la llama, las chispas
y hasta las sombras cuando es alto.

Nada hay solitario en la tierra.
Creemos el hombre nuevo cantando.

RAFAEL ALBERTI

100

Un paseo por la naturaleza

DOMPEDROS Y DONJUANES

Dompedros y donjuanes[1]
hay en mi huerto.
¿Quieres ir esta tarde,
niño, a cogerlos?

Dejaré que te subas
en el granado
y te llenes la boca
de zumo claro.

Dejaré que te veas
en el estanque,
como un lirio de oro
que mueve el aire.

Dejaré que acaricies
una paloma
con alas de nardo[2]
y ojos de novia.

Niño, al entrar,
mira bien: nunca olvides
el palomar.

JUAN REJANO

1 **dompedro** o **donjuan** son nombres con los que se conoce indistintamen-
te una planta de jardín con flores que se abren al anochecer y se cierran
cuando sale el sol.
2 **alas de nardo**: alas blancas como la flor del nardo.

ROMANCE DEL DUERO

Río Duero, río Duero,
nadie a acompañarte baja;
nadie se detiene a oír
tu eterna estrofa de agua.[1]

Indiferente o cobarde,
la ciudad vuelve la espalda.
No quiere ver en tu espejo
su muralla desdentada.

Tú, viejo Duero, sonríes
entre tus barbas de plata,[2]
moliendo con tus romances[3]
las cosechas mal logradas.[4]

Y entre los santos de piedra
y los álamos de magia
pasas llevando en tus ondas
palabras de amor, palabras.

Quién pudiera como tú,
a la vez quieto y en marcha,

---

1 **estrofa**: 'agrupación de versos'. Esto es, nadie se para a escuchar la voz poética (**estrofa**) y sabia del agua, que lleva siglos recorriendo el río; de ahí que su estrofa sea **eterna**.

2 **barbas de plata**: 'espuma blanca'. La comparación se la inspira la antigüedad del río.

3 **romance**: composición poética de origen tradicional que suele narrar viejas historias.

4 El río representa la naturaleza y también el fluir del tiempo, la experiencia y la sabiduría de la historia; la ciudad, en cambio, es el presente superficial e ignorante que se olvida (**vuelve la espalda**) de su pasado (la **muralla desdentada**, calificada así por la forma de sus rotas almenas).

cantar siempre el mismo verso
pero con distinta agua.

Río Duero, río Duero,
nadie a estar contigo baja,
ya nadie quiere atender
tu eterna estrofa olvidada,

sino los enamorados
que preguntan por sus almas
y siembran en tus espumas
palabras de amor, palabras.

GERARDO DIEGO

IBA TOCANDO MI FLAUTA

Iba tocando mi flauta
a lo largo de la orilla;
y la orilla era un reguero[1]
de amarillas margaritas.

El campo cristaleaba[2]
tras el temblor de la brisa;
para escucharme mejor
el agua se detenía.

Notas van y notas vienen,
la tarde fragante y lírica[3]
iba, a compás de mi música,
dorando sus fantasías,

y a mi alrededor volaba,
en el agua y en la brisa,
un enjambre doble de
mariposas amarillas.[4]

La ladera era de miel,
de oro encendido la viña,
de oro vago el raso leve
del jaral de flores níveas;

allá donde el claro arroyo
da en el río, se entreabría

---

1 **reguero**: cualquier cosa que se esparce formando una línea.
2 **cristaleaba**: producía reflejos, como los cristales.
3 **tarde fragante y lírica**: tarde llena de olores agradables (**fragante**) y de emoción poética y musical (**lírica**).
4 Es un **enjambre doble** porque las mariposas se reflejan en el agua.

un ocaso de esplendores
sobre el agua vespertina...[5]

Mi flauta con sol lloraba
a lo largo de la orilla;
atrás quedaba un reguero
de amarillas margaritas...[6]

JUAN RAMÓN JIMÉNEZ

---

5 Con la puesta de sol (**ocaso**) sobre el agua del río al atardecer (**agua vespertina**), el paisaje va tomando el color dorado de la miel o del oro. El **jaral**, sitio poblado de **jaras**, arbusto de flores blancas (por eso se las llama **níveas**, como la nieve), parece, bajo la luz ligeramente amarillenta (**oro vago**) una tela de seda muy fina (**raso leve**).

6 El color amarillo y el atardecer se asocian a la tristeza, por eso el poeta dice que la flauta «lloraba a lo largo de la orilla».

EL CHOPO Y EL AGUA ENAMORADOS

El agua que está en la alberca[1]
y el verde chopo[2] son novios
y se miran todo el día
el uno al otro.
En las tardes otoñales,
cuando hace viento, se enfadan:
el agua mueve sus ondas,
el chopo sus ramas;
las inquietudes del árbol
en la alberca se confunden
con inquietudes de agua.
Ahora que es la primavera,
vuelve el cariño; se pasan
toda la tarde besándose
silenciosamente. Pero
un pajarillo que baja
desde el chopo a beber agua,
turba[3] la serenidad
del beso con temblor vago.
Y el alma del chopo tiembla
dentro del alma del agua.

PEDRO SALINAS

---

1 **alberca**: estanque.
2 **chopo**: árbol que crece cerca del agua y cuyas hojas anchas y brillantes
se agitan al más leve movimiento del aire.
3 **turba**: altera, rompe el reflejo (**el beso**) del chopo en el agua.

En tierras del ingenio
y del humor

35 BUJÍAS[1]

Sí. Cuando quiera yo
la soltaré. Está presa
aquí arriba, invisible.
Yo la veo en su claro
castillo de cristal, y la vigilan
—cien mil lanzas— los rayos
—cien mil rayos— del sol. Pero de noche,
cerradas las ventanas
para que no la vean
—guiñadoras espías— las estrellas,
la soltaré. (Apretar un botón.)
Caerá toda de arriba
a besarme, a envolverme
de bendición, de claro, de amor, pura.

---

1 **bujía**: unidad empleada para medir la intensidad de un foco de luz artificial, hoy en desuso.

En el cuarto ella y yo no más, amantes
eternos, ella mi iluminadora
musa[2] dócil en contra
de secretos en masa de la noche
—afuera—
descifraremos formas leves, signos,
perseguidos en mares de blancura[3]
por mí, por ella, artificial princesa,
amada eléctrica.[4]

PEDRO SALINAS

---

2 **musa**: diosa protectora de las artes e inspiradora del poeta.

3 El poeta, con la ayuda de la "amada", leerá el texto escrito (**descifraremos formas leves, signos**) en las páginas blancas de los libros (**mares de blancura**), tras vencer la oscuridad (**secreto en masa**) de la noche.

4 Sólo al final del poema comprendemos que la **amada** que está presa en un **castillo de cristal** (la bombilla) y a quien el poeta liberará al llegar la noche con sólo **apretar un botón** (el interruptor), es la luz eléctrica de una bombilla de 35 bujías de potencia; por eso la llama "amada eléctrica" y "artificial princesa". La comparación de la luz artificial con una princesa encerrada en un castillo lleva al poeta a suponer que, durante el día, los rayos de sol son guerreros que vigilan con sus lanzas a la princesa e impiden que pueda verse su luz, y que, durante la noche, las estrellas son **espías guiñadoras** porque titilan.

SONETO DE REPENTE[1]

Un soneto me manda hacer Violante,
que en mi vida me he visto en tanto aprieto;
catorce versos dicen que es soneto:
burla burlando[2] van los tres delante.

Yo pensé que no hallara consonante[3]
y estoy a la mitad de otro cuarteto,
mas si me veo en el primer terceto,
no hay cosa en los cuartetos que me espante.[4]

Por el primer terceto voy entrando,
y parece que entré con pie derecho,
pues fin con este verso le voy dando.

Ya estoy en el segundo, y aun sospecho
que voy los trece versos acabando;
contad si son catorce, y está hecho.

LOPE DE VEGA

1 **de repente**: improvisado.
2 **burla burlando**: sin darme cuenta.
3 **consonante**: palabras que rimen en consonante.
4 Los catorce versos endecasílabos (de once sílabas) que forman el soneto se agrupan en dos cuartetos y dos tercetos con rima consonante. Así pues, la estructura del presente soneto, ingeniosa muestra de poema que trata de la propia escritura del poema, es la siguiente: ABBA ABBA CDC DCD.

GREGUERÍAS

De la nieve caída en los lagos
nacen los cisnes.

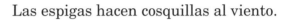

Las espigas hacen cosquillas al viento.

La jirafa es un caballo
alargado por la curiosidad.

El cocodrilo es un zapato desclavado.

El que dice paralelepípedo
parece tartamudo.

El pez está siempre de perfil.

El beso  nunca es singular.

El desierto se peina con peine de viento;
la playa, con peine de agua.

Las primeras gotas de la tormenta bajan
a ver si hay tierra para aterrizar.

Los tornillos son clavos peinados
con raya en medio.

Trueno: caída de un baúl por las
escaleras del cielo.

Los presos a través de la reja ven
la libertad a la parrilla.

El 8 es el reloj de arena de los números.

El agua se suelta el pelo
en las cascadas.

En otoño debían caer todas
las hojas de los libros.

Los mejillones son las almejas de luto.

El pez más difícil de pescar es el jabón dentro del baño.

RAMÓN GÓMEZ DE LA SERNA

EL TOPO Y OTROS ANIMALES

Ciertos animalitos,
todos de cuatro pies,
a la gallina ciega[1]
jugaban una vez.

Un perrillo, una zorra
y un ratón, que son tres;
una ardilla, una liebre
y un mono, que son seis.

Éste a todos vendaba
los ojos, como que es
el que mejor se sabe
de las manos valer.

---

1 **gallina ciega**: juego en que uno de los jugadores, con los ojos vendados,
persigue a los otros hasta que atrapa a uno de ellos y consigue identificar-
lo sin destaparse los ojos, con lo que el atrapado pasa a ser perseguidor.

Oyó un topo la bulla[2]
y dijo: «Pues, ¡pardiez!,[3]
que voy allá, y en rueda
me he de meter también».

Pidió que le admitiesen,
y el mono, muy cortés,
se lo otorgó (sin duda
para hacer burla de él).[4]

El topo a cada paso
daba veinte traspiés,
porque tiene los ojos
cubiertos de una piel.

Y a la primera vuelta,
como era de creer,
facilísimamente
pillan a su merced.[5]

---

2 **bulla**: alboroto, ruido confuso de gritos, voces y risas.
3 **¡pardiez!**: exclamación antigua equivalente a '¡por Dios!'.
4 Para burlarse de él porque, como dirá después, los topos «tienen los ojos /
cubiertos de una piel», es decir, que son ciegos.
5 **a su merced**: al señor (topo).

De ser gallina ciega
le tocaba la vez;
y ¿quién mejor podía
hacer este papel?

Pero él, con disimulo,
por el bien parecer,[6]
dijo al mono: «¿Qué hacemos?
Vaya, ¿me venda usted?».

Si el que es ciego y lo sabe
aparenta que ve,
quien sabe que es idiota
¿confesará que lo es?

TOMÁS DE IRIARTE

---

6 Esto es, para hacer creer que no es ciego y quedar bien.

BURLA DE AMOR

«¿A que no me das un beso?»,
me dijo Inesilla loca,
teniendo en su linda boca
de punta un alfiler grueso.
Yo, que siempre mi provecho
saco de sus burlas, sabio,
fingí dárselo en el labio
y se lo planté en el pecho.

BALTASAR DEL ALCÁZAR

120

Por la ruta del sueño y del misterio

ERA UN NIÑO QUE SOÑABA

Era un niño que soñaba
un caballo de cartón.
Abrió los ojos el niño
y el caballito no vio.
Con un caballito blanco
el niño volvió a soñar;
y por la crin[1] lo cogía…
¡Ahora no te escaparás!
Apenas lo hubo cogido,
el niño se despertó.
Tenía el puño cerrado.
¡El caballito voló!

---

1 **crin**: conjunto de pelos largos que tienen los caballos en la parte superior del cuello.

Quedose el niño muy serio
pensando que no es verdad
un caballito soñado.
Y ya no volvió a soñar.[2]
Pero el niño se hizo mozo
y el mozo tuvo un amor,
y a su amada le decía:
¿Tú eres de verdad o no?[3]
Cuando el mozo se hizo viejo
pensaba: todo es soñar,
el caballito soñado
y el caballito de verdad.
Y cuando vino la muerte,
el viejo a su corazón
preguntaba: ¿Tú eres sueño?
¡Quién sabe si despertó![4]

ANTONIO MACHADO

2 Descubrir que los sueños infantiles (el caballo de cartón, el caballito blanco) no son realidad lleva al desengaño y a dejar de ser niño.
3 En la juventud se vive el amor con tanta ilusión que es mucho el temor a perderlo, como si se tratara de un sueño que se interrumpe al despertar. Por eso el poeta se pregunta si el amor es «verdad o no», del mismo modo que cuando era pequeño dudaba de la realidad del caballo soñado.
4 En la vejez la vida se ve como un sueño pasado. El poeta no nos aclara si la muerte es también un sueño del que se puede despertar. Queda así el misterio de si hay otra vida tras el sueño de esta vida y de la muerte.

ROMANCE DE LA LUNA, LUNA

La luna vino a la fragua
con su polisón de nardos.
El niño la mira, mira.
El niño la está mirando.
En el aire conmovido
mueve la luna sus brazos
y enseña, lúbrica y pura,
sus senos de duro estaño.[1]
—Huye luna, luna, luna.
Si vinieran los gitanos,
harían con tu corazón
collares y anillos blancos.

1 La luna, personificada como una bailarina provocativa (**lúbrica**) y pura al mismo tiempo, acude a la herrería (**fragua**), donde el niño está solo. Su vestido es blanco, como la flor de los **nardos**, y abultado por llevar debajo un **polisón** o armazón que se ponían antiguamente las mujeres atado a la cintura para ahuecar el vestido por detrás. Sus pechos (**senos**) son también blancos y fríos, como el estaño.

—Niño, déjame que baile.
Cuando vengan los gitanos,
te encontrarán sobre el yunque²
con los ojillos cerrados.
—Huye luna, luna, luna,
que ya siento sus caballos.
—Niño, déjame, no pises
mi blancor almidonado.³

El jinete se acercaba
tocando el tambor del llano.⁴
Dentro de la fragua el niño
tiene los ojos cerrados.
Por el olivar venían,

---

2 **yunque**: pieza de hierro sobre la que se golpean los metales para mol-
  dearlos.
3 **blancor almidonado**: se refiere a la luz de la luna o vestido blanco. El **al-
  midón** es una sustancia que se emplea para blanquear y endurecer la ropa.
4 El llano es como un tambor que golpean los cascos de los caballos.

bronce y sueño, los gitanos.[5]
Las cabezas levantadas
y los ojos entornados.

Cómo canta la zumaya,[6]
¡ay, cómo canta en el árbol!
Por el cielo va la luna
con un niño de la mano.

Dentro de la fragua lloran,
dando gritos, los gitanos.[7]
El aire la vela, vela.
El aire la está velando.

FEDERICO GARCÍA LORCA

5 Los gitanos, morenos y duros como el bronce, regresan cansados.
6 **zumaya**: autillo, ave rapaz nocturna parecida a la lechuza.
7 Los gitanos lloran porque se han encontrado muerto al niño, que se lo ha
llevado la luna, personificación de la muerte.

ANOCHE CUANDO DORMÍA

Anoche cuando dormía
soñé, ¡bendita ilusión!,
que una fontana fluía[1]
dentro de mi corazón.
Di, ¿por qué acequia escondida,
agua, vienes hasta mí,
manantial de nueva vida
en donde nunca bebí?

Anoche cuando dormía
soñé, ¡bendita ilusión!,
que una colmena tenía
dentro de mi corazón;
y las doradas abejas
iban fabricando en él,
con las amarguras viejas,
blanca cera y dulce miel.

Anoche cuando dormía
soñé, ¡bendita ilusión!,
que un ardiente sol lucía
dentro de mi corazón.
Era ardiente porque daba
calores de rojo hogar,[2]

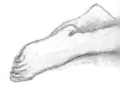

1 **fontana**: manantial que brota de la tierra, por eso su agua **fluye** (corre).
2 **hogar**: sitio donde se enciende el fuego en una casa.

y era sol porque alumbraba
y porque hacía llorar.

Anoche cuando dormía
soñé, ¡bendita ilusión!,
que era Dios lo que tenía
dentro de mi corazón.[3]

ANTONIO MACHADO

---

3 El poeta sueña que cree en Dios. El agua que siente manar y le da nueva
vida, las abejas que transforman las penas en dulce miel, o el sol que ca-
lienta y alumbra se refieren a esta presencia de Dios en su corazón.

NOSTALGIA

Platero, tú nos ves, ¿verdad?

¿Verdad que ves cómo se ríe en paz, clara y fría, el agua de la noria[1] del huerto; cuál vuelan, en la luz última, las afanosas abejas en torno del romero verde y malva,[2] rosa y oro por el sol que aún enciende la colina?

Platero, tú nos ves, ¿verdad?

¿Verdad que ves pasar por la cuesta roja de la Fuente vieja los borriquillos de las lavanderas, cansados, cojos, tristes en la inmensa pureza que une tierra y cielo en un solo cristal de esplendor?

Platero, tú nos ves, ¿verdad?

¿Verdad que ves a los niños corriendo arrebatados entre las jaras, que tienen posadas en sus ramas sus propias flores, liviano enjambre de vagas mariposas blancas, goteadas de carmín?[3]

Platero, ¿verdad que tú nos ves? Sí, tú me ves. Y yo creo oír, sí, sí, yo oigo en el poniente despejado, endulzando todo el valle de las viñas, tu tierno rebuzno lastimero…[4]

JUAN RAMÓN JIMÉNEZ

---

1 **noria**: máquina movida por un animal que da vueltas para sacar agua de un pozo.

2 **afanosas**: trabajadoras; **malva**: de color morado claro.

3 **jara**: arbusto siempre verde y de grandes flores blancas que tienen una mancha rojiza en la base de sus cinco pétalos. Por eso parecen un enjambre **liviano** (de poco peso) de mariposas blancas con puntos rojos (**goteadas de carmín**).

4 El poeta quiere creer que Platero, el borriquillo con el que ha compartido tantos momentos felices, sigue, tras su muerte, vivo en otra vida desde la que contempla este mundo.

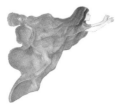

actividades

Echando a volar

1 En **«Rueda que irás muy lejos»** (pág. 9) Miguel Hernández nos muestra la devoción que sentía por su hijo, en el que tenía depositadas todas sus esperanzas. ¿De qué distintos modos lo llama? ¿Qué tienen en común las palabras que emplea para nombrarlo? ¿Qué le pide que haga? ¿Qué representa para el poeta su hijo?

2 ¿Qué opinas de la actitud de Miguel Hernández hacia su hijo? ¿Es la misma que tienen tus padres contigo?

3 En **«A Margarita Debayle»** (pág. 11) Rubén Darío exalta la imaginación y el amor por la belleza y por la bondad de la niña que protagoniza la historia. ¿Por qué asciende la princesa a los cielos? ¿Qué relación tiene ese viaje con el sueño, la fantasía y la búsqueda de la verdad divina y la belleza? ¿Comprende el padre los deseos de su hija? ¿Por qué? El Buen Jesús aparece e impide que el padre castigue a la niña; luego el padre celebra la llegada de Jesús con un desfile de cuatrocientos elefantes. ¿Qué crees que alegra más a Jesús, el desfile de elefantes o el prendedor iluminado por la estrella que ya posee la princesa?

4 ¿Tienes tú imaginación y fantasía? ¿Tienen los adultos imaginación y fantasía? ¿Crees que la lectura de hermosos poemas o bellas historias nos hace mejores?

Ansias viajeras, sueños de libertad

1 En el poema de **Concha Méndez** (pág. 19), ¿qué reacción despierta en la niña la contemplación de los mapas? ¿Te causan los mapas a ti el mismo efecto? ¿Qué países y regiones te gustaría visitar?

2 El poeta **Rafael Alberti** era un enamorado del mar. ¿Qué sensaciones le inspira el mar en su poema de la pág. 20? ¿Qué sensaciones te produce a ti el mar? Escribe unos versos que expresen impresiones parecidas a las de este poema, pero imaginándote que el viento es un pájaro en el que vuelas.

3 ¿Qué deseos expresan los poemas **«Los palos del telégrafo»** (págs. 22-23) y **«Pato»** (pág. 25)? ¿Cuál de estas dos poesías te gusta más y por qué?

4 El adolescente del poema de **Juan Ramón Jiménez** (pág. 26) siente la necesidad de abandonar su pueblo: ¿por qué razón? ¿Qué va buscando? ¿Sientes tú también una necesidad parecida? Si es así, explica qué circunstancias motivan este deseo.

5 Cuenta las sílabas de los ocho primeros versos de «Adolescencia». ¿Cuántas sílabas tiene cada verso? Sin embargo, decimos que *métricamente* todos los versos son *octosílabos* (de ocho sílabas), porque el poeta recurre a la **sinalefa** y a la **diéresis**, dos conocidas *licencias métricas*. Señala los casos en que se utilicen estas licencias.

¿Por qué el verso 5 tiene ocho sílabas métricas? ¿Qué clase de rima tiene este poema?

6 Redacta un **retrato en prosa del pirata de Espronceda** (págs. 28-34). Describe sus ideas y sus sentimientos, y explica lo que piensa de su barco, del mar, de la libertad, los reyes, las riquezas, la belleza, etc.

7 ¿Te atrae a ti la figura del pirata que pinta Espronceda? ¿Por qué? Organizaos en grupos, y averiguad cómo fueron los piratas en realidad, dónde actuaron y por qué se dedicaban a la piratería. ¿Existen hoy en día los piratas?

8 La «Canción del pirata» es un poema **muy musical**. Está formado por diecisiete **estrofas** que combinan diferentes estructuras. Las dos primeras son las siguientes: **1ª)** 8 –, 8 a, 8 a, 8 b, 8 –, 8 c, 8 c, 8 b; **2ª)** 8 a, 4 b, 8 a, 8 c, 8 c, 8 b. ¿Cuál es la estructura de las restantes estrofas? ¿Cuántas veces se repite cada una de ellas?

Otros países, otras gentes

1 Para nombrar las cosas usamos sustantivos y para indicar sus rasgos o cualidades, adjetivos. En las descripciones abundan estas dos clases de palabras. Lee el poema **«Saga»** (pág. 40) y haz una lista de los **sustantivos relacionados con la naturaleza** que encuentres en él. ¿Cuáles describen el paisaje nórdico? Haz otra lista con los adjetivos que se refieren a los sentidos (vista, oído, tacto, olfato o gusto). ¿Cuál es el sentido que más abunda? ¿Por qué?

2 Realiza ahora el mismo ejercicio con los sustantivos y adjetivos del poema **«Magreb»** (pág. 42). ¿Qué diferencias observas con los del poema anterior?

3 Escribe un pequeño poema en que contrastes un paisaje frío y otro cálido. Para ello elabora en primer lugar dos listas de adjetivos y sustantivos propios de cada uno de esos paisajes. Puedes utilizar la fórmula: «Cuando en los desnudos bosques del Norte..., en los jardines perfumados del Sur...», o cualquier otra fórmula similar.

4 En **«La aurora»** (págs. 45-46) Lorca nos presenta una visión horrenda y deshumanizada de la ciudad de Nueva York. Las imágenes que emplea parecen salidas de una pesadilla y muchas veces no tienen lógica: son imágenes *surrealistas* como «huracán de negras palomas» o «monedas en enjambres furiosos». ¿Por qué son ilógicas esas expresiones? ¿Qué impresión te producen? ¿Podrías dibujar esas imágenes?

5 En el poema de Lorca, la naturaleza y las personas son **víctimas de la gran ciudad y de la organización social**. ¿Qué le ocurre a la luz de la aurora cuando trae el nuevo día? (versos 1, 5, 9 y 17) ¿Sobre qué se sustenta la aurora? (v. 2) ¿Cómo son las palomas (v. 3), las aguas (v. 4) y los nardos (v. 8)? ¿Cómo están los niños y qué les ocurre? (v. 11-12) ¿Qué "comprenden" las personas al salir de sus casas? (vv. 13-14)

6 Para Lorca, la **organización social** oprime a los seres humanos. ¿Qué visión nos ofrece el poeta del dinero (vv. 11-12), las leyes (v. 15), el trabajo (v. 16) y la ciencia (v. 18)?

7 ¿Qué opinas de la visión que Lorca nos ofrece de Nueva York? ¿Crees que la vida en una población rural está más humanizada que en la ciudad? ¿Dónde preferirías vivir tú, en la ciudad o en el campo? Pedidle al profesor que os lea poemas sobre la vida en el campo.

En el reino del amor

1. En el poema de **Juan Ramón Jiménez** (págs. 49-50), ¿por qué crees que la escena amorosa transcurre precisamente en una «mañana de primavera»? ¿Qué elementos de la naturaleza aparecen en el poema? ¿Qué relación hay entre el amor, la naturaleza y la primavera?

2. En las *Rimas* de Bécquer (pág. 51) encontramos muchos matices del amor. En la primera rima, ¿qué quiere expresar Bécquer al asociar la poesía y la amada? ¿Es simplemente un piropo? En la segunda rima, ¿qué estaría el poeta dispuesto a dar a cambio de un beso? ¿Qué sentimiento expresa en el último poema? Indica a qué momento del proceso amoroso corresponde cada una de las tres rimas.

3. «Otoño» (pág. 52) es un poema de amor que rezuma sensualidad. ¿Cuál es la razón del título? ¿Por qué emplea los adjetivos "goloso" y "largo" referidos al sustantivo "beso"? El ritmo del poema se crea en parte con palabras agrupadas de dos en dos. Haz una lista de todos los grupos de palabras.

4. En el poema **«Frutos del amor»** (pág. 54), ¿qué metáforas amorosas se basan en la naturaleza? Sus versos se agrupan de dos en dos y riman entre sí; ¿qué nombre recibe esta estructura métrica?

5. En la **poesía de tipo tradicional o popular** abundan las estrofas breves. La **copla**, la **seguidilla** o la **soleá** son tres de las más

comunes. Con ayuda de la profesora o del profesor, anota en la libreta la estructura de esas estrofas y di en cuál de ellas están compuestos los poemitas de **Manuel Machado** (pág. 55) y los de la **lírica tradicional** (pág. 62) ¿Cuáles de esos poemas expresan el enamoramiento y cuáles el sufrimiento por el desamor y la melancolía? ¿Qué dos poemas te han gustado más?

6 El **romance** es también una estrofa de tipo tradicional, y en él están compuestos los poemas de las páginas 56, 60 y 63. ¿Qué estructura tienen?

7 En el romance **«Amor más poderoso que la muerte»** (pág. 56), ¿qué consigue el conde Niño con su canto? ¿Qué les ocurre a los amantes después de morir? ¿En qué podrían seguir transformándose la garza y el gavilán cuando murieran? Memorizad y recitad este poema entre tres alumnos y alumnas. Buscad una música adecuada y hacedla sonar como fondo.

8 La **rima de Bécquer** (pág. 60) exalta también el amor de dos personas y la fusión que se produce entre ellas. Esta unión íntima se expresa mediante **metáforas**, como cuando el poeta nos dice que las almas de los amantes son "dos rojas lenguas de fuego". Identifica las metáforas que hay en el poema y comenta cuáles te parecen más acertadas para expresar la unión de dos enamorados.

9 El poema de Bécquer tiene una **estructura paralelística** y **repetitiva**. ¿Qué palabras se repiten? ¿En qué se diferencia la última estrofa de las cuatro anteriores? ¿Podría ampliarse el poema? Escribe otras metáforas que sugieran la unión de los amantes. ¿Qué importancia tiene el último verso? Se trata de una afirmación que podría ir al comienzo del poema, pero entonces el efecto poético sería diferente: ¿por qué?

10 Muchos romances son **poemas narrativos**, esto es, que cuentan una historia con diferentes personajes y acontecimientos. El **«Romance de la condesita»** (págs. 63-71) es un buen ejemplo. Convierte este romance en un cuento tradicional: "Érase una vez una condesita recién casada...". Puedes emplear palabras del romance, pero recuerda que en la prosa no hay rimas. ¿Qué está dispuesta a hacer la condesita por su marido? ¿Cómo calificarías su amor? ¿Y el del conde? ¿Qué fragmento del poema te ha gustado más y por qué?

11 El poema **«La reina»** (pág. 72) nos describe una experiencia muy común: cuando estamos enamorados, vemos el mundo con otros ojos. ¿Crees tú también que la persona amada es siempre la mejor y la más hermosa para el enamorado o la enamorada? ¿Qué sensación experimenta el enamorado del poema cuando aparece su amada? (vv. 12-16)

12 En **«El desayuno»** (pág. 74) el poeta utiliza un lenguaje coloquial para describir situaciones y sensaciones cotidianas que avivan la pasión del enamorado. ¿Qué acciones cotidianas de la amada le gustan sorprendentemente al amante? ¿Qué otras acciones sencillas le gustan todavía más? ¿Qué es lo que le gusta por encima de todo?

Caminemos de la mano

1 En «**La rueda de la paz**» (pág. 77), ¿qué propone Juan Rejano para que los niños consigan alejar el fantasma de la guerra? ¿Cómo se consigue el ritmo del poema?

2 La **tristeza** es un estado de ánimo que seguramente has experimentado alguna vez. Se trata de algo espiritual, abstracto; sin embargo, **Neruda** (pág. 78) la dota de forma y volumen, la transforma en algo real, concreto, que intenta invadir su casa. ¿Qué es para Pablo Neruda la tristeza? ¿Con qué animales la relaciona? ¿Qué sensaciones producen en ti esos animales?

3 Hay otras palabras en «Oda a la tristeza» que sugieren o *connotan* muerte, maldad, destrucción: ¿cuáles son? Como verás, todas ellas se refieren a la tristeza que el poeta no quiere dejar pasar. En cambio, ¿qué connotaciones tienen las palabras que aluden a las cosas que entran en su casa?

4 ¿Serías capaz de componer una «Oda a la alegría» siguiendo el modelo del poema de Neruda? Para ello puedes hacer una lista de animales, paisajes, sabores, olores, experiencias, etc., que tú asocies con la alegría. Después, al igual que Neruda, hazlos entrar en tu vida o en tu casa.

5 La fe religiosa es una virtud por lá que se cree en Dios, pero la palabra **fe** significa también 'creer o tener confianza en una idea, una persona, unos valores'… ¿En qué tiene fe

Blas de Otero? (pág. 80) ¿Qué cosas pueden faltarle al pueblo y al poeta? ¿A quién pertenecen esas cosas? ¿Qué estimulará al poeta para luchar? El poema está construido con **enumeraciones** y frases paralelísticas; señálalas. ¿Qué verso queda aislado?

6 Blas de Otero tiene fe en el pueblo por el que lucha. Y tú, ¿en qué personas, valores o ideas tienes fe? ¿Qué estarías dispuesto o dispuesta a hacer por ellas?

7 La **conversación**, la charla natural y sencilla, sin prisas, es uno de los valores más humanos y civilizados que existen. ¿Crees que a la gente le gusta charlar y beber amistosamente en los bares, como a **Nicolás Guillén** (pág. 83) o se ha perdido esta costumbre? ¿Qué factores de la sociedad actual no contribuyen a la charla tranquila y amable? ¿Cómo nos muestra el poeta el carácter distinto de la gente que se reúne en los bares?

8 Ser generoso con los amigos no resulta difícil. La **generosidad** se pone a prueba con aquellas personas que no corresponden a nuestro afecto. En **«Una rosa blanca»** (pág. 83), ¿cómo expresa José Martí esta idea? ¿En qué pasaje de los Evangelios Jesucristo pone en práctica esta conducta? ¿Tiene algo que ver con la sentencia "ojo por ojo, diente por diente" que se expresa en el Antiguo Testamento?

9 Tendemos a pensar que sólo existe lo que está cerca de nosotros o lo que nos afecta directamente, y a menudo ignoramos u olvidamos que millones de personas sufren mucho mientras en el mundo occidental llevamos una vida fácil y podemos expresarnos libremente sin que nadie nos maltrate por ello. Esta ignorancia o indiferencia es la que José Agustín Goytisolo pretende combatir en **«Nadie está solo»**

(pág. 84) ¿De qué hombre nos habla Goytisolo? ¿Qué le ocurre a ese hombre? ¿A quién se dirige el poeta y qué pretende con sus preguntas? ¿Cómo se produce la solidaridad entre el poeta, el lector y los que sufren? ¿Qué versos del poema te han impresionado más? ¿Por qué?

10 El poeta suele emplear bellas palabras para despertar una emoción estética en el lector. Pero hay poetas que anteponen la denuncia de la injusticia social a cualquier otro propósito. ¿Cómo calificarías el lenguaje empleado en «Nadie está solo»? ¿Qué relación hay entre la intención de este poema y el lenguaje utilizado en él?

11 Todos los seres humanos debemos ser iguales en derechos y deberes pero, al tiempo, y por fortuna, no hay dos seres humanos iguales. En el poema **«Distinto»** (pág. 87) Juan Ramón Jiménez defiende el derecho de cada persona a ser distinto. En la nota 1 hay algunos ejemplos de "iguales": aporta otros casos de personas que, a tu entender, sean "iguales" e indica la razón. La sociedad en que vivimos tiende a hacernos a todos "iguales": ¿de qué modo? ¿Te molesta a ti el hecho de que alguien vista, actúe, piense o sea distinto? ¿Por qué?

12 En los versos 4-15 de «Distinto» el poeta hace una relación de cosas "distintas": ¿cuáles son? ¿Cómo se estructuran esos doce versos? ¿En qué verso posterior recoge Juan Ramón todos los elementos enumerados? ¿Qué correspondencia se establece entre dichos elementos y los sustantivos del verso 18?

13 El poema narrativo de Rubén Darío **«Los motivos del lobo»** (págs. 89-98) comienza con la descripción del animal. Haz una lista de los sustantivos y adjetivos que le aplica al lobo en la pág. 89. ¿Cuáles de esas palabras son *sinónimas* (de significado igual o muy parecido)?

14 Cuando san Francisco le echa en cara al lobo su vida de maldad, ¿qué responde el animal? Comenta sus "motivos" (págs. 90-92); ¿te parecen convincentes? ¿Y la respuesta del santo? ¿A qué pacto llega el fraile con el lobo y con la gente? El lobo pone en práctica algunas de las reglas franciscanas: ¿cuáles son? (pág. 97) ¿Sigue también la gente estas reglas? ¿Cómo se porta con el animal? ¿Compartes los motivos del lobo para regresar a su vida de animal salvaje? ¿Qué concepto tiene Rubén Darío del ideal franciscano? ¿Qué piensas tú del mismo? ¿Crees que es válido en la actualidad y que se puede llevar a la práctica?

15 En «Canción» (pág. 101) Alberti afirma que nadie está solo si es capaz de cantar. Para intensificar esta idea, ¿qué ejemplos de la naturaleza pone? ¿Justifican estos ejemplos el penúltimo verso del poema? ¿Qué cambio introduce? El canto, la voz, la palabra, la poesía... ¿crees que unen a los seres humanos y los transforma?

Un paseo por la naturaleza

1 En **«Romance del Duero»** (pág. 104) Gerardo Diego contrapone el río (la naturaleza) a la ciudad. ¿Qué representa para el poeta el río y por qué? ¿De qué se lamenta el escritor? La quinta estrofa nos dice que **el río** es siempre el mismo, aunque **el agua** que circula por él cambia; al igual le ocurre al **amor**, que no ha variado a lo largo de los siglos; pero ¿qué cambia en relación con el amor? ¿En qué se basa Gerardo Diego para identificar el río, el fluir del tiempo, el pasado, la sabiduría y el amor? ¿Qué representa para el poeta la ciudad?

2 La realidad sensible la percibimos a través de los **sentidos**. En **«Iba tocando mi flauta»** (págs. 106-107) ¿qué sustantivos, adjetivos y verbos están relacionados con la vista (el color, sobre todo) y con el oído? ¿Hay otras palabras que aludan al olfato, al tacto y al gusto?

3 A veces dotamos a las cosas de rasgos animados o humanos para hacerlas más próximas a nosotros. A este recurso lo llamamos **personificación**. En **«Iba tocando mi flauta»**, el agua, la flauta y la tarde aparecen personificados. ¿En qué consiste dicha personificación?

4 La vida espiritual es tan importante para los poetas que a menudo éstos suelen contagiar todo cuanto les rodea de vivencias y sentimientos humanos. Es lo que ha hecho Pedro Salinas en **«El chopo y el agua enamorados»** (pág. 108). ¿Qué verbos y sustantivos del poema expresan estos rasgos humanos? ¿En qué estaciones del año sitúa el poeta el amor y el desamor del chopo y el agua? ¿Por qué razón?

En tierras del ingenio
y del humor

1 No hay objeto o realidad que no pueda ser tema de un poema. Todo depende del ingenio o la capacidad del poeta para transformar algo cotidiano o vulgar en materia poética, como hace Pedro Salinas en **«35 bujías»** (pág. 111). ¿En qué convierte el poeta la bombilla? ¿Y la luz eléctrica? ¿Qué nombre recibe el recurso literario que emplea para ello? ¿Qué "pistas" nos llevan a descubrir que se trata de la luz de una bombilla, objeto que no aparece nombrado en el poema?

2 Elige ahora un **objeto cotidiano** (el ratón del ordenador, una moto, un balón, unas zapatillas viejas...) y **escribe un poema** con recursos semejantes a los empleados por Salinas. Puedes utilizar un lenguaje sencillo y un tono íntimo, inventar comparaciones y metáforas, prescindir de la rima... Procura que el objeto que elijas sea importante para ti por algún motivo.

3 El soneto es una estrofa-poema muy difícil de componer. Lope de Vega demuestra un gran ingenio y habilidad al escribir el famoso **«Soneto de repente»** (pág. 113). ¿De qué trata este poema? ¿En qué consiste su originalidad?

4 En las **«Greguerías»** (págs. 114-116) Gómez de la Serna, su inventor, muestra una capacidad excepcional para establecer relaciones sorprendentes entre cosas dispares. ¿Qué relación encuentra entre nieve y cisnes, cocodrilo y zapato desclavado, paralelepípedo y tartamudo, agua y pelo, trueno y baúl, pez y jabón? ¿Qué greguerías te han gustado más y por qué?

5 Con un poco de ingenio no es difícil inventar greguerías. Inténtalo. Piensa, por ejemplo, en la relación que puede tener la luna y un ojo, una nariz y un enchufe, un sillón de mimbre y un esqueleto, un rayo y un sacacorchos…

6 Los protagonistas de las **fábulas** son casi siempre animales que se comportan como seres humanos. ¿Qué tipo de persona representa el topo de la fábula de Iriarte? (págs. 117-119) ¿Qué pretende criticar o censurar el autor con esta fábula? ¿Qué nombre reciben los versos finales que sintetizan la intención del autor? ¿Te has encontrado alguna vez con personas como el topo? Relata brevemente la situación y la reacción de quienes estuvieran presentes.

7 Un **epigrama** es una composición poética breve e ingeniosa escrita con intención burlesca o satírica. El poema de Baltasar del Alcázar (pág. 120) es un buen ejemplo. ¿En qué consiste la burla? ¿Por qué podemos decir que se trata de una versión del conocido motivo del "burlador burlado"?

Por la ruta del sueño y del misterio

1 En **«Era un niño que soñaba»** (pág. 123) Antonio Machado nos habla de una persona que sueña con cosas que le gustaría poseer y que, además, confunde la realidad con la fantasía. ¿Con qué cosas "sueña" esa persona a lo largo de su vida? ¿Por qué crees que, cuando se hace mayor, llega a la conclusión de que "todo es soñar, / el caballito soñado / y el caballito de verdad"?

2 ¿Crees que tener "sueños", esto es, ilusiones o esperanzas, es malo o bueno? ¿Por qué? ¿Cuáles son tus "sueños"? Por otra parte, ¿son los sueños "de verdad", "reales"? ¿O solo es real lo que se puede ver y tocar? ¿Se "viven" los sueños? Una experiencia del pasado, ¿tiene una existencia muy distinta a la de un sueño?

3 No hay misterio mayor que la muerte. En **«Romance de la luna, luna»** (pág. 125) Lorca representa a la muerte como la luna, que, en forma de bailarina, intenta seducir a un niño para llevárselo. ¿Se siente el niño atraído por la luna? Sin embargo, ¿cómo procura ahuyentarla? ¿En qué palabras de la luna advertimos que el niño ha sido ya cautivado por el baile?

4 La personificación de la muerte es muy frecuente en la literatura y en el

151

arte. En el poema de García Lorca la muerte es representada por la luna, pero también por el jinete que se acerca "tocando el tambor del llano". ¿Por qué crees que la luna simboliza la muerte? ¿Conoces alguna otra personificación de la muerte? Busca cuadros famosos o dibujos en que aparezca representada.

5　Lorca consigue dotar a sus romances de un ritmo característico que ayuda a su memorización. ¿Qué recurso emplea en algunos versos que los convierte en inolvidables? Aprende el romance de Lorca completo y recítalo ante el resto de la clase.

6　En el poema «Anoche cuando dormía» (pág. 128) Machado nos habla de un sueño que tuvo. El poeta soñó que en su corazón tenía una colmena, fluía una fuente y lucía el sol; solamente al final nos revela que fuente, colmena y sol son manifestaciones de Dios. ¿Qué relación encuentras entre estos tres elementos y la idea de Dios? Para contestar, fíjate en lo que nos dice Machado de ellos y, sobre todo, en sus efectos. ¿Por qué crees que Machado considera su sueño una "bendita ilusión"? ¿Creía Machado en Dios, según este poema?

7　La muerte es un misterio, aun cuando quien muera sea un animal como Platero. ¿Qué sucede tras la muerte? Los seres que han desaparecido, ¿siguen gozando de este mundo de alguna manera? Estas son las preguntas que Juan Ramón Jiménez plantea en «Nostalgia» (pág. 130); sin embargo, ¿te da la impresión de que el poeta formula preguntas, o más bien de que hace afirmaciones? ¿Espera alguna respuesta por parte de Platero?

8 Toda la obra de Juan Ramón Jiménez es un canto a la vida y a la naturaleza, que el poeta desea aquí seguir compartiendo con Platero. ¿Qué elementos de la naturaleza aparecen en este texto? Señala las notas de color que encuentres en él: ¿qué finalidad tienen?

ÍNDICE DE POEMAS

CUCAÑA

El Gigante egoísta
y otros cuentos
Oscar Wilde

Este libro reúne los cuentos más hermosos y conmovedores de Oscar Wilde, sus relatos más preñados de valores morales. Los protagonistas de estos cuentos alcanzan la felicidad y el amor cuando, renunciando al egoísmo, se muestran amables y generosos y se preocupan por el bien de los demás.

Relatos de fantasmas
Adaptación de **Steven Zorn**

Un viajero comparte el camarote de un barco con un muerto viviente… Un pequeño huérfano recibe la visita de dos niños fantasmas que no pretenden sino salvarle la vida… Atrévete a entrar en el mundo misterioso y fantástico de los ocho cuentos de este libro. En cada uno de sus rincones te aguarda una sorpresa.

Aprendiz de detective
Un robo muy costoso
William Irish

La intriga, la emoción y el suspense atrapan al lector desde principio a fin de estos dos magníficos relatos policiacos. En el primero de ellos viviremos la aventura de un verdadero "aprendiz de detective". El humor negro de *Un robo muy costoso*, en cambio, desembocará en un estremecedor desenlace.

Amigos robots

Isaac Asimov

Asimov nos describe una sociedad futura en que los robots se convierten en fieles servidores de los seres humanos hasta el extremo de suplir sus carencias afectivas. Tal es el caso de *Robbie*, uno de los cuentos más tiernos de su autor, y también de *Sally*, relato en que unos coches defienden a su dueño del ataque de unos maleantes.

La Biblia
Historias del Antiguo Testamento

Adaptación de **Martin Waddell**

Este libro recrea diecisiete historias del Antiguo Testamento, que abarcan desde la Creación a la vida del profeta Jonás, pasando por episodios como el Diluvio Universal o el Éxodo. La deliciosa adaptación de los relatos conserva todo el vigor narrativo del libro más leído de la literatura universal.

El ojo de cristal
Charlie saldrá esta noche
Cornell Woolrich

Estos dos apasionantes relatos policiacos demuestran la maestría de Cornell Woolrich en el manejo del suspense y la intriga. En «El ojo de cristal», un muchacho ingenioso y valiente sigue el rastro de un asesino, mientras que en «Charlie saldrá esta noche» un capitán de policía presiente que su propio hijo es un peligroso atracador.

El mago de Oz

L. Frank Baum

De la mano de la pequeña Dorotea, Baum nos lleva de viaje al mágico reino de Oz, donde las brujas disputan con las hadas y lo más extraño es posible. Una sucesión de emocionantes aventuras e inolvidables personajes nos enseñan que todos nuestros sueños pueden hacerse realidad si luchamos por ellos con ilusión y esfuerzo.

Los tambores

Reiner Zimnik

Cansados de las injusticias del mundo en el que viven, un grupo de personas abandona su ciudad y emprende un largo viaje en busca de una vida mejor. Reiner Zimnik nos relata las esperanzas y dificultades de esas gentes en una fábula tan sencilla y hermosa como profunda y emotiva.

Un tirón de la cola

Mary Hoffman

¿Qué sucede cuando un chacal glotón quiere zamparse a la más regordeta de las ovejas? ¿Y cuando un zorro alardea de su velocidad ante un cangrejo? En este libro se reúnen once historias divertidas de animales donde el lector descubrirá que si uno se pasa de listo, es demasiado avaricioso o se comporta como un fanfarrón, puede acabar muy mal parado.

El jorobado

y otros cuentos de «Las mil y una noches»

Anónimo

En estos diez cuentos de *Las mil y una noches*, las anécdotas más divertidas y las fábulas de animales más aleccionadoras conviven con historias tan maravillosas como la del jorobado que murió cuatro veces, la del hombre que lo perdió todo por culpa de sus zapatos y la del leñador que se hizo rico al grito de «¡Ábrete sésamo!».

Las aventuras de Mowgli

Rudyard Kipling

Este libro reúne los relatos más apasionantes de *El libro de la selva*: «Los hermanos de Mowgli», «La caza de Ka» y «¡Al tigre! ¡Al tigre!». En ellos podremos vivir las aventuras de Mowgli, el cachorro de hombre que es adoptado por los lobos y adoctrinado en la Ley de la Selva por el oso Balú, la pantera Baguira y la serpiente Ka. Pero sobre la vida de Mowgli pende la amenaza del siniestro tigre Shir Kan…